건강과 행복을 한방에 잡는 3D 혁명

건강과 행복을 한방에 잡는 3D 혁명

발　행 | 2024년 2월 7일
저　자 | 전금성
펴낸이 | 한건희
펴낸곳 | 주식회사 부크크
출판사등록 | 2014.07.15.(제2014-16호)
주　소 | 서울특별시 금천구 가산디지털1로 119 SK트윈타워 A동 305호
전　화 | 1670-8316
이메일 | info@bookk.co.kr

ISBN | 979-11-410-6990-2

www.bookk.co.kr

건강과 행복을
한방에 잡는
3D 혁명

전 금 성 지음

CONTENT

프롤로그

여러분은 얼마나 건강하고 행복한 삶을 살고 계십니까? 아마도 대부분의 사람들이 건강과 행복을 동시에 실현하기 위해 노력하고 있을 것입니다. 하지만 현대 사회에서는 환경오염, 스트레스, 도파민 중독과 같은 다양한 문제들이 우리의 건강과 행복을 방해하고 있습니다.

그렇다면 어떻게 하면 건강과 행복을 한방에 잡을 수 있을까요? 이 질문에 대한 해답을 찾기 위해 "3D 혁명"이 시작되었습니다. "3D"란 3가지 디톡스(Detox), 즉 3가지 해독을 의미하며 이를 통해 우리는 건강한 삶과 내면의 행복을 찾을 수 있을 것입니다.

첫 번째로 "Body Detox"에서는 환경오염으로 인해 오염된 우리 몸을 해독하는 과정을 담았고, 두 번째로 "Dopamine Detox"는 미디어의 홍수 시대에 도파민 중독을 극복하는 법을 담았으며 세 번째로 "Soul Detox"에서는 생각과 감정을 조절하고 내면의 평화와 안정을 찾는 해독과정을 다루었습니다.

건강과 행복을 한방에 잡는 이 여정에서 우리는 함께 성장하고 발전할 것을 기대해 봅니다.

네이버 인물 검색: 전금성 / 닉네임: 웃음샘

- 개인메일: iearlove@naver.com
- 블 로 그: https://blog.naver.com/iearlove

1장

3D 혁명의 개념과 중요성

세상은 빠르게 변화하고 있습니다. 새로운 기술과 발전한 문화가 우리의 삶에 큰 영향을 미치고 있습니다. 이러한 변화 속에서 우리는 건강과 행복을 동시에 실현하기 위해 새로운 접근 방식을 찾아야 합니다. 그래서 나타난 것이 "3D 혁명"입니다.

"3D 혁명"은 신체, 도파민, 영혼의 3가지 차원을 통해 건강과 행복을 동시에 추구하는 철학입니다. 이제까지 우리는 주로 신체 건강에 초점을 맞추었지만 3D 혁명은 건강한 신체뿐만 아니라 긍정적인 감정과 정서, 내면의 평화와 연결된 영혼적인 측면까지 모두 고려합니다. 이는 우리가 더욱 풍요로운 삶을 살아갈 수 있는 기회를 제공합니다.

첫 번째 신체는 건강한 식단과 생활습관의 개선을 통해 유지됩니다. 우리는 살아있는 음식을 먹고 규칙적인 운동과 몸을 따뜻하게 하여 땀을 배출하는 것이 중요합니다. 이를 통해 우리는 체력과 면역력을 강화하고, 질병으로부터 보호받을 수 있습니다.

두 번째 도파민은 과한 부분의 개선을 통해 적절하게 유지되어야 합니다. 다양한 취미와 관심사를 개발하고 스크린 타임을 관리하는 방법을 배워야 합니다. 이를 통해 차분함을 갖고 긍정적인 감정을 느낄 수 있습니다. 또한 명상과 마인드풀니스 실천을 통해 내면의 평화와 안정을 찾을 수 있습니다.

마지막으로 영혼의 차원은 우리의 내면과 연결된 영역입니다. 긍정적인 자기 대화, 스트레스 관리, 사회적 관계의 발전, 자기 성장을 위한 활동 등을 통해 우리는 영혼의 평화와 행복을 실현할 수 있습니다. 이는 우리가 더욱 의미 있는 삶을 살아갈 수 있는 열쇠입니다.

3D 혁명은 우리에게 건강과 행복의 새로운 가능성을 제시합니다. 이 책에서는 3D 디톡스의 원리와 다양한 해독 방법을 소개하고 여러분이 일상 속에서 실천할 수 있는 팁과 가이드라인을 제공합니다.

건강과 행복을 동시에 실현하기 위한 3D 혁명에 동참하신 여러분들의 삶에 이 책이 큰 도움이 되어 줄 것입니다. 다음 장부터는 그 구체적인 방법에 대해 안내하겠습니다.

2장

첫 번째 "Body Detox"

1. 식습관 개선을 통한 해독

옛날 먹을 것이 없어서 먹지 못함으로 병이 오던 시대와는 달리 세상은 빠르게 변하여 지금은 먹을 것들이 넘쳐나고 너무 많이 먹어서 병이 생기는 시대가 되어 버렸습니다.

어린이와 수험생들부터 직장인 노인층에 이르기까지 아침식사는 반드시 해야 한다고 하면서 이 아침식사가 건강하게 살기 위한 불변의 법칙인 것처럼 여겨지기도 합니다.

그러나 많은 대체의학을 논하는 사람들은 조식폐지를 주장합니다. 실제로 프랑스에 의학자이자 약학자인 수울리에 박사는 소변실험을 통해 아침식사를 하지 않고 점심 저녁식사만 한 사람의 소변에서는 100%, 하루 3끼를 다 먹은 사람의 소변에서는 75%, 아침, 점심 두 끼를 먹은 경우 62%, 저녁 한 끼만 먹은 경우 127%의 독소가 배출되었다는 사실을 밝힌 바 있습니다.

조식폐지의 또 하나의 입장을 가진 유럽 최대의 샤리테 베를린 대학 병원 안드레아스 미할젠 의학박사는 "단식은 메스 없이 하는 수술이다."라고 말했듯 저녁 식사 후 아침을 단식하게 되면 저녁 식사(8시) 이후 약 16시간을 매일 단식하는 꼴이니 그만큼 몸이 정화되고 깨끗해진다는 이야기를 하고 있습니다.

그러나 저는 조식폐지를 강하게 주장하고 싶지는 않습니다. 많은 분들의 경우를 지켜보니 "기운이 없다." "어지럽다" 등등 아침식사를 반드시 해야 한다는 고정관념이라는 산이 높기 때문에 쉽지 않은 것이 현실입니다. 특히나 노령층은 더 심합니다.

따라서 저는 아침 식사는 꼭 채소와 과일만으로 하는 것을 추천합니다. 우리가 먹는 많은 음식 중에 살아있는 음식은 오직 채소, 과일뿐이라고 합니다. 채소와 과일은 풍부한 효소와 식이섬유를 함유하고 있습니다. 효소는 우리 몸에서 다양한 생리 작용을 돕는 데 중요한 역할을 합니다.

특히 아침에 효소가 풍부한 채소와 과일을 섭취한다면 소화 과정에서 몸을 깨끗하게 만들어줄 수 있습니다. 이는 소화 효율을 향상시키고 체내 노폐물을 제거하여 신진대사를 원활하게 도와줍니다.

그중 CCA주스를 강력추천합니다. CCA 주스는 사과, 양배추, 당근을 갈아서 만든 건강 해독 음료입니다. 사과는 식이섬유와 비타민 C를 풍부하게 함유하고 있어 면역력 강화와 소화를 돕습니다.

양배추는 강력한 항산화 작용을 가지고 있어 세포 손상을 예방하고 신진대사를 촉진시킵니다. 당근은 베타카로틴과 비타민 A를 함유하여 피부 건강과 시력 개선에 도움을 줍니다. 이러한 재료들을 함께 갈아서 만든 CCA 주스는 아침에 쉽고 맛있게 섭취할 수 있는 좋은 선택입니다.

참고로 식후에 과일을 디저트로 섭취하는 경우 많은데 이는 굉장히 좋지 않은 습관입니다. 탄수화물과 과일의 소화 시간이 다릅니다. 탄수화물이 소화되는 시간이 훨씬 깁니다.

따라서 식후에 과일을 드시면 위에서 부패가 일어날 수 있으며 이는 독소가 다량 발생할 수 있다는 것을 기억해야 합니다.

채소, 과일은 소화시간이 약 30분인데 이를 아침에 갈아먹으면 소화시간이 5분이므로 소화에너지 낭비도 거의 없고 오히려 우리 몸을 정화하는데 효과적이라고 한의사 조승우 박사의 저서 "완전배출"에 언급되어 있습니다.

이렇게 우리는 아침에는 꼭 살아있는 유일한 음식인 채소와 야채를 갈아 만든 주스를 잘 챙겨 먹는 습관을 가져본다면 건강과 행복을 한방에 잡는 좋은 출발점이 될 것입니다.

2. 생활습관 개선을 통한 해독

건강한 삶을 살기 위한 방법 중 디톡스(Detox), 즉 해독에는 많은 방법들이 있습니다. 그중 저는 두 가지 강력한 해독법과 해독에 도움이 되는 운동요법을 소개해보려고 합니다.

첫 번째로 오일풀링을 소개합니다. 오일풀링이란 인도의 전통의학인 아유로베다에서 유래된 건강법으로 우리 몸속 특히 입안에 있는 독소는 물에 녹지 않고 기름에 잘 녹는 지용성으로 밤새 입으로 올라오는 독소를 식물성 오일에 녹여서 배출하는 것을 말합니다.

현직의사가 오일풀링의 허구를 밝히려다 오히려 오일풀링의 효과를 의학적으로 밝히게 된 책 '오일풀링'에서 그 내용을 다루고 있습니다.

전홍준 의학박사님과 틱낫한 스님도 권장하는 건강법인 오일풀링은 최근 의학계에서는 입안 세균이 많은

병들과 연관성이 있다고 밝히고 있는 상황에서 좋은 대안이 될 것이라 생각합니다.

아침식사 전에 하는 것이 가장 좋으며 압착유로 해야 합니다. 가열해서 만든 기름은 추천하지 않습니다. 압착유를 입안에 머금고 15분~20분 정도 구석구석 혀로 청소하고 뱉어내는 식으로 하면 됩니다.

그리고 물로 입을 헹군 뒤 양치를 가볍게 하면 됩니다. 주의 사항은 입 안에 상처가 있을 때는 피하셨다가 아물고 나면 하시는 것을 추천합니다.

그다음은 풍욕입니다. 풍욕은 프랑스 의학자였던 샤를 로브리 박사가 창안한 것으로 일본의 니시 건강법에 의해 소개되면서 국내에도 알려지게 되었습니다. 풍욕이란 말 그대로 "바람(공기)으로 목욕을 한다"는 뜻입니다.

사람은 피부로도 호흡을 하고 노폐물을 배출하는데

옷을 입기 때문에 피부가 공기를 통해 정화할 기회가 없습니다. 따라서 일정시간을 내어 옷을 벗고 통풍이 잘 되는 곳에서 신선한 공기에 신체를 노출시켜야 한다고 합니다.

국내 명의 중에 한 명인 하나통합의원 전홍준 박사님은 '생명리셋' 저서에서 풍욕은 피부를 통해 몸속 노폐물이 밖으로 배출되고 외부로부터 신선한 산소와 질소가 들어와 피가 깨끗해지고 혈액순환이 좋아지게 되어 암뿐만 아니라 류머티즘, 심장병, 만성 간질환, 만성 신장질환, 소화성궤양, 알레르기, 만성 피부병 등 모든 만성질환에 효과가 있다고 밝히고 있습니다.

풍욕을 하는 방법은 먼저 창문을 열어 공기가 잘 통하게 한 후 겉옷, 속옷까지 완전히 벗은 후 담요나 이불을 덮고 시작합니다. 그다음 일정시간에 맞춰 담요나 이불을 덮었다가 열어젖히기를 반복합니다.

해뜨기 전과 해가 진 후에 하는 것이 좋으며 총시간

은 약 30분 정도 소요됩니다. 풍욕을 한 후에는 목욕해도 좋지만 목욕을 한 직후에는 효과가 없으며 최소 1시간 후에 하셔야 합니다. 또한 식전에는 상관없지만 식후에는 30~40분이 지난 후에 하는 것이 좋습니다.

위 책에서는 풍욕을 계속하다 보면 여러 호전반응이 일어나는데 피부 발진이나 가려움증이 있을 수 있다고 이야기합니다.

이는 몸속의 노폐물, 독소가 피부를 통해 배출되는 좋은 신호이기 때문에 얼마 가지 않아 사라지니 걱정할 필요가 없으며 곧 기분이 상쾌해지고 몸이 가벼워지며 피로가 회복되는 것을 경험할 수 있다고 기록되어 있습니다.

풍욕을 매일 실천해보시기를 바랍니다. 유튜브 영상에도 풍욕에 도움이 되는 영상을 활용하셔서 틀어놓으시면 종소리가 울리고 그 종소리에 따라서 담요나 이불을 덮었다가 열어젖히기를 하시면 편하게 풍욕을 하실 수 있을 것입니다.

유튜브 영상은 '의사 김진목과 함께하는 풍욕영상' 또는 '암환자 면역력을 높이는 풍욕'을 추천해드립니다.

세 번째로 우리 몸을 해독하는데 가장 좋은 운동요법으로 맨발로 걷는 '어싱'에 대해 소개합니다.

사람은 흙에서 태어나 흙으로 돌아간다는 말처럼 모든 생명의 시작과 끝은 흙으로부터 비롯되었습니다. 옛날부터 사람은 지구의 피부인 대지에 맨살을 맞대고 살아왔습니다. 맨발로 걷고 땅바닥에 앉고 서고 잠을 잤습니다.

지구상에 존재하는 모든 식물은 땅에 뿌리를 박고 모든 동물들이 땅을 밟고 살아가듯이 우리 인간 역시도 땅을 밟고 살아가야 합니다. 그것이 자연과 함께 하는 것입니다.

그런데 지금은 모든 사람이 부도체의 고무 밑창을 댄 신발을 신고 살아갑니다. 주변은 고층 건물에 시멘트, 아스팔트 등 자연과는 차단된 환경에서 살고 있습니다.

또한 각종 스트레스, 환경오염, 잘못된 여러 가지 습관들로 인해 몸 안에 활성산소가 많이 발생하고 있습니다. 이 활성산소는 만성질환의 원인이 된다고 밝혀졌습니다.

요즘 유행하고 있는 건강법 중에 '어싱(Earthing)'이라는 것이 있습니다. 이것은 우리가 신발을 벗고 맨발로 땅을 밟는 것을 말하며 '접지'라고도 합니다.

맨발로 땅을 밟게 되면 땅속에 있는 자유전자(음-전하)가 우리 몸에 유입이 되어 활성산소의 주범인 양+전하를 중화시켜 건강하게 살 수 있다고 합니다.

제임스 오슈만 박사의 '어싱, 땅과의 접촉이 치유한

다' 저서와 20여 편의 임상논문들을 통해 밝힌 '맨발 걷기숲길힐링스쿨' 운영자인 박동창 박사님의 '접지(Earthing) 이론'을 살펴보겠습니다.

맨발로 땅을 걷게 되면 우리 몸에 여러 유익이 있는데 첫 번째로 지압 이론이 있습니다. 땅 위의 돌멩이, 나뭇가지 등을 밟게 되어 온몸의 지압점과 연결되어 있는 발바닥이 지압이 되면서 혈액순환이 왕성해지고 면역력이 상승한다고 합니다.

두 번째로 지구와 접지를 하게 됨으로 땅의 음-전자가 우리 몸으로 들어오게 됩니다. 그렇게 모든 질병의 원인인 양+전하를 띤 활성산소와 만나 중화가 되기 때문에 각종 만성질환들이 치유하는데 도움이 될 수 있다고 합니다.

세 번째 혈액의 점성을 낮추고 혈류 속도를 상승시켜 심혈관, 뇌질환의 위험을 예방할 수 있다고 합니다.

네 번째 에너지대사 핵심물질인 ATP(아데노신삼인산)의 생성을 촉진하여 항노화 작용에 도움을 준다고 합니다.

다섯 번째 스트레스 호르몬인 코르티솔 분비를 진정시켜 숙면을 돕는다고 하고 여섯 번째는 활성산소의 잃어버린 짝을 찾아주어 염증과 통증을 치유한다고 합니다.

일곱 번째 면역체계가 정상작동할 수 있도록 도와 면역력을 증가시켜 준다고 합니다. 마지막으로 발바닥 아치의 스프링작용, 혈액펌핑작용 등이 정상적으로 작동하여 건강한 삶을 살 수 있도록 돕는다고 합니다.

닥터쓰리 의과학연구소 소장인 호리 야스노리 박사의 저서 "모든 병은 몸속 정전기가 원인이다"에서는 우리 몸속은 물론 뇌 속에서 항상 정전기가 발생한다고 언급했는데 이를 해독하는 생활수칙 중 하나로 맨발로 흙 위를 걷거나 풀을 밟고 밭일이나 정원을 가꾸는 일을 통해 흙을 만지다 보면 체내에 정전기가 잘 빠져나간다고 이야기하고 있습니다.

이렇게 자연과 하나 될 수 있는 운동법인 '어싱'을 매일매일 실천해본다면 건강과 행복한 삶이 한층 더 가까워질 것입니다.

이렇게 맨발로 어싱을 하는 것은 최소 40분 이상 해야 효과를 볼 수 있으며 여름보다 추운 겨울철에는 더 효과가 있다고 합니다.

참고로 겨울철에 어싱을 할 경우에는 두툼한 양말의 바닥을 가위로 잘라서 발바닥 면이 일정 부분 땅에 닿을 수 있도록 신고 걸으면 좋으며 어싱 후에는 반드시 찬물로 발을 씻은 후 서서히 따뜻해지도록 해야 한다는 점을 꼭 기억하시기 바랍니다.

3. 독소제거를 위한 디톡스 프로그램

2009년 기준 대한민국 사람들이 한해 섭취하는 합성첨가물의 양이 24.69kg이라는 매우 충격적인 연구 결과가 공개되었습니다.

그렇다면 2023년에는 얼마나 될까요? 아마 30kg이 넘는 것으로 추정해 볼 수 있습니다. 합성첨가물에는 단순히 조미료뿐만 아니라 우리가 실생활에서 쓰는 화장품, 샴푸, 각종 세제, 먹는 약, 다양한 건강보조식품 등도 포함되어 있습니다.

이런 합성첨가물을 가장 효과적으로 해결할 수 있는 방법으로 '디톡스'라는 책을 보면 미국 FDA에서는 화학물질 증후군을 해결할 수 있는 유일한 방법은 '땀을 통해서'라고 밝혔다고 이야기하고 있습니다.

또한 2012년에는 땀 배출은 환경호르몬을 포함 체내 독소들을 이동, 체외로 배출하는데 가장 효과적이었다는 연구결과가 나왔는데 이 연구에서는 독소를 여러 다양한 체외 배출 방법(대변, 소변, 땀)들을 비교했는데 그중 땀에서 훨씬 더 많은 독성물질들이 검출된다는 것을 확인했습니다.

알루미늄 3.75배, 카드뮴 25배, 코발트 7배, 납 17배로 땀이 중금속을 배출하는데 더 효율적이라는 것을 의미합니다. 이는 우리 몸이 소변, 대변, 호흡 등을 통해서도 다양한 배출행위들을 하지만 땀구멍은 300만 개나 되기 때문에 땀을 통해 체내의 독소 및 중금속을 배출하는 방법이 최고의 방법이라는 의미일 것입니다.

이런 이야기를 하면 보통 많은 분들께서는 사우나나 찜질방 같은 곳에서 땀을 내는 것도 좋냐고 물으시겠지만 사우나나 찜질방 같은 곳에서 몸을 따뜻하게 하는 것은 일시적으로는 독소제거에 도움이 될 수는 있지만 오히려 몸속을 차갑게 할 위험이 있다는 부분을 알리고 싶습니다.

실제로 사우나나 찜질방에 가서 땀을 내면 일시적으로 몸이 개운하기는 합니다만 땀이 나고 머리 부분이 뜨거워졌을 때 배를 만져보면 배는 엄청 차가워진 걸 느낄 수 있습니다.

이는 순간 체온이 올라 우리 몸은 항상성(항상 그 상태를 유지하려는 습성)을 유지하려고 땀구멍을 열어 체내 열을 밖으로 배출하기 때문에 몸속은 차가워진 결과 때문입니다. 그래서 사우나나나 찜질방에서 땀을 빼고 나면 찬물이 아니라 따뜻한 물을 마셔야 합니다.

이 모든 것을 대체할 수 있는 방법은 바로 온열돔을 사용하는 것입니다. 온열돔이란 둥근 돔형태를 띤 온열기로 누워서 몸을 따뜻하게 해주는 기능이 있습니다.

온열돔의 시작은 신분에 귀천이 없이 이로운 것을 나누고 약한 이들을 돌봐야 한다는 조선시대 왕들의 위민사상에서 시작된 한증소로 시작되었습니다.

한증소는 위쪽으로 갈수록 좁아지는 돔형태로 돌을 쌓아 만들었습니다. 이는 안정감을 주고 열전도율을 좋게 하는 구조라고 합니다.

내부의 구조를 살펴보면 바닥은 온돌방식을 따뜻하게 했고 환자를 그 가운데에 들어가서 앉거나 눕게 하여 열이 집중되게 하여 땀을 흘리게 하여 병을 치료하는 조선의 공공 의료시설이었습니다.

아직까지도 그 형태가 보존되어 인천 강화도 교통면 난정리를 방문하면 한증소를 직접 확인해 볼 수 있습니다.

이러한 부분을 토대로 가정에서도 몸을 따뜻하게 할 수 있도록 개발된 온열돔을 통해 나오는 열은 사우나나 찜질방의 열과는 전혀 다릅니다.

특히나 히터나 면상발열체로 만들어진 제품이 아닌 최근 신소재로 노벨물리학상을 받은 그래핀 소재로 만든 **온열돔(양자돔)**은 다이아몬드보다 열전도율이 2배나 높아서 체내로 열을 잘 공급되어 몸속 깊은 곳을 따뜻하게 해주기 때문에 독소 배출에는 아주 탁월하다고 할 수 있습니다.

실제로 **온열돔(양자돔)**을 사용해보면 배부터 따뜻해지고 배꼽 주변에서 땀이 많이 나는 것을 체험할 수 있습니다. 저의 아내도 고치지 못했던 병을 이 **온열돔(양자돔)**으로 완치될 수 있었습니다.

이러한 온열돔을 아침저녁 시간을 정해놓고 매일 1회 1~2시간씩 꾸준히 사용하는 것을 추천합니다.

3장

두 번째 "Dopamine Detox"

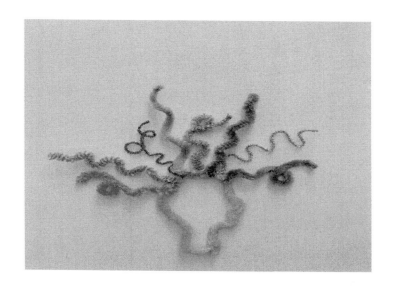

1. 스크린 타임 관리를 통한 해독

도파민은 우리의 쾌감과 보상 체계에서 중요한 역할을 수행하는 호르몬입니다. 그러나 과도한 도파민 자극은 일상생활에 부정적인 영향을 미칠 수 있습니다.

자극적인 환경, 특히 스마트폰과 같은 디지털 기기로 인해 도파민의 과도한 분비가 발생하면, 우리는 중독성 행동과 더불어 주의력 부진, 집중력 저하, 스트레스 증가와 같은 문제에 직면할 수 있습니다.

스크린 타임 관리는 도파민 디톡스에 있어서 중요한 요소입니다. 스마트폰, 컴퓨터, 텔레비전 등의 디지털 기기 사용 시간을 적절히 조절하여 건강한 라이프스타일을 유지할 수 있도록 돕는 방법입니다. 이를 위해 다음과 같은 전략을 활용할 수 있습니다.

먼저 사용 시간을 제한합니다. 매일매일 자신에게 적절한 스크린 타임 한도를 설정하고 규칙적으로 준수

합니다. 예를 들어 하루에 스마트폰 사용을 2시간으로 제한하는 등 개인에게 맞게끔 설정해서 사용합니다.

또한 스마트폰이나 컴퓨터에서 제공하는 사용 시간 제한 기능을 활용할 수도 있습니다. 이 기능을 활용하면 설정한 시간이 초과될 경우 알림이 울리거나 기기가 자동으로 잠금 상태로 전환됩니다.

다음은 디지털 해킹을 활용하는 것입니다. 스마트폰 앱의 알림을 끄는 것은 스크린 타임을 관리하는데 도움이 될 수 있습니다. 알림이 없으면 스마트폰을 자주 확인하거나 사용할 필요가 줄어들게 됩니다.

사용 시간을 제한하는 앱을 활용하여 도파민 자극을 최소화할 수도 있습니다. 이러한 앱은 설정한 시간이 초과될 경우 알림을 주거나 기기의 기능을 제한하여 사용 시간을 제어합니다.

다음은 스크린 프리 타임 가지기입니다. 스크린을

사용하지 않고 다른 취미나 활동에 집중하는 시간을 의미합니다. 이를 통해 스크린 타임을 줄이고 다양한 활동을 즐길 수 있습니다.

예를 들어 매일 저녁 1시간 동안 스크린을 사용하지 않고 책을 읽거나 운동을 하는 등의 다른 활동에 집중할 수 있습니다. 또는 일주일에 2일은 스크린 프리 타임을 가지기로 결정했다면 스크린 프리 타임에는 스마트폰을 사용하지 않고 책을 읽거나 친구와 약속을 잡아 함께 시간을 보내는 등의 활동을 즐기면 됩니다.

2. 다양한 취미와 관심사 개발을 통한 해독

도파민 디톡스를 위해 다양한 취미와 관심사를 개발하는 것은 우리의 삶에 쾌감과 만족감을 더하고 긍정적인 영향을 줄 수 있는 중요한 요소입니다.

우리는 일상의 루틴과 업무에 치이는 스트레스와 지루함을 벗어나기 위해 다양한 자극과 쾌감을 주는 경험을 찾아야 합니다. 이를 통해 우리의 도파민 시스템을 활성화시키고 더 행복하고 즐거운 삶을 즐길 수 있습니다.

첫 번째로 운동입니다. 운동은 도파민 분비를 촉진시키고 스트레스 해소에 도움이 되는 효과가 있습니다. 자신에게 맞는 운동 방식을 선택하여 꾸준히 실천해 보세요.

유산소 운동인 조깅이나 등산은 체력 향상과 스트레스 해소에 도움이 되며, 요가나 필라테스는 몸과 마음을 동시에 튼튼하게 해줄 수 있습니다.

두 번째로 창작적인 활동을 하는 것입니다. 그림 그리기, 음악 연주, 글쓰기 등 창작적인 활동은 도파민 분비를 촉진시키고 창의력을 향상시킵니다.

자신이 관심을 가지고 재능을 발휘할 수 있는 분야를 선택하여 취미로 즐겨보세요. 그림 그리기에 관심이 있다면 그림 스케치나 수채화를 배워보는 것도 좋을 수 있습니다.

음악에 관심이 있다면 악기를 연주하거나 음악 작곡에 도전해 보세요. 글쓰기에 관심이 있다면 일기 쓰기나 소설 작성을 시작해보는 것도 좋은 방법입니다.

세 번째로 사회적 활동을 시작해 보기입니다. 가족, 친구, 동료들과의 교류를 통해 사회적 관계를 형성하고 도파민 분비를 촉진시킬 수 있습니다.

함께 시간을 보내며 대화하거나 여행을 가는 등 다양한 활동을 계획해 보세요. 친구들과 모임을 갖거나 취미 동호회에 가입하여 새로운 인연을 만들 수도 있습니다. 이를 통해 소속감과 만족감을 얻을 수 있습니다.

네 번째로 학습과 지식 습득입니다. 새로운 지식을 습득하고 자기계발을 위한 학습은 도파민 분비를 촉진시키고 성취감을 얻을 수 있습니다.

관심 있는 분야의 책을 읽거나 온라인 강의를 수강해 보세요. 새로운 기술을 배워보는 것도 좋은 방법입니다.

예를 들어, 프로그래밍, 요리, 사진촬영 등 자신의 관심사나 직무에 필요한 기술을 습득해 보세요. 이를 통해 자신에게 도전과 성장의 기회를 제공할 수 있습니다.

이러한 다양한 방법을 시도해본다면 일상적인 활동에 새로운 즐거움을 더할 수 있으며, 도파민 디톡스를 통해 더 행복하고 만족한 삶을 즐길 수 있을 것입니다.

3. 명상과 마인드풀니스 실천 프로그램

명상과 마인드풀니스는 과도해진 도파민 중독을 해독하는데 매우 효과적인 방법입니다. 명상과 마인드풀니스에 대해 자세히 설명드리겠습니다.

먼저 명상은 마음을 집중시키고 내면의 조용함과 평화를 찾는 실천입니다. 명상을 통해 우리는 마음의 소음과 방해물을 걷어내고, 현재의 순간에 집중함으로써 내면의 안정과 명료함을 얻을 수 있습니다.

명상은 오랜 세월 동안 동양의 철학과 종교에서 실천되어온 기법으로, 현대 사회에서도 많은 사람들이 스트레스 해소와 내면의 평화를 위해 채택하고 있습니다.

명상을 실천하기 위해서는 조용하고 평온한 장소를 선택하고, 편안한 자세로 앉아 시작합니다. 명상은 주로 숨을 관찰하고 마음을 집중시키는 것으로 시작합니다.

숨을 들이마시고 내쉬는 과정을 주의 깊게 지켜보며, 숨의 흐름과 감각에 집중합니다. 마음이 흩어지거나 다른 생각이 들면 차분하게 그 생각을 지나치게 하고 다시 숨에 집중합니다. 이렇게 몇 분 동안 숨을 관찰하고 집중하는 것으로 명상을 시작할 수 있습니다.

명상은 마음과 몸의 휴식을 제공하고, 스트레스를 해소하며 내면의 안정과 평화를 찾을 수 있는 효과적인 방법입니다. 정기적으로 명상을 실천하면 마음과 몸을 건강하게 유지할 수 있으며 도파민 디톡스에도 도움이 됩니다.

이어서 마인드풀니스에 대해 설명하겠습니다. 마인드풀니스는 다른 이름으로 '마음 챙김 명상'이라 불립니다. 조금 전 언급한 단순한 명상과는 차이가 있는 보다 현실에 집중하는 방법입니다.

마인드풀니스의 선구자인 존 카밧진 교수는 "순간순간 주위의 장에서 일어나는 생각이나 감정 및 감각을 있는 그대로 인정하고 수용하면서 판단을 더하지 않고 현재를 중심적으로 또렷이 알아차리는 것"이라고 이야기했습니다.

과도한 잡념은 뇌를 굉장히 피로하게 만든다고 합니다. 아무리 쉬어도 피로감을 느끼는 이유 중에 하나입니다. 이러한 잡념을 컨트롤하여 뇌를 쉬게 하는 방법이 바로 마인드풀니스라고 할 수 있습니다.

마인드풀니스는 현재의 순간에 집중하고 주의를 기울이는 것을 의미합니다. 이는 일상적인 활동 속에서도 깊이 있는 경험을 할 수 있도록 도와줍니다.

우리는 종종 과거나 미래에 대한 걱정과 생각에 사로잡혀 현재의 순간을 제대로 느끼지 못하는 경향이 있습니다. 마인드풀니스는 이러한 마음의 흐름을 인식하고 현재의 순간에 집중함으로써 내면의 평화와 안정을 찾을 수 있도록 도와줍니다.

마인드풀니스를 실천하기 위해서는 주의를 기울일 대상을 선택하고 그 대상에 대한 집중을 꾸준히 유지하는 것이 중요합니다.

예를 들어 음식을 먹을 때는 음식의 맛과 향을 깊이 느껴보고 산책을 할 때는 발밑의 감각과 주변의 자연을 주의 깊게 관찰해보세요. 마인드풀니스를 실천할 때는 주의를 기울인 대상에 대한 판단이나 평가를 내리지 않고 그저 순수하게 관찰하고 경험하는 것에 초점을 맞추어야 합니다.

마인드풀니스는 일상적인 순간들에서도 내면의 평화와 안정을 찾을 수 있는 법입니다. 정기적으로 마인드풀니스를 실천하면 도파민 시스템을 균형 있게 유지하고 스트레스를 해소하며 내면의 행복과 평온을 얻을 수 있습니다.

명상과 마인드풀니스를 실천하기 위해서는 다음과 같은 방법을 제안합니다.

첫 번째로 정기적인 명상 실천입니다. 매일 일정한 시간을 정해 명상에 집중해 보세요. 시작할 때에는 몇 분부터 시작하여 점차 시간을 늘려나갈 수 있습니다. 명상 전문가의 가이드나 앱을 활용하여 도움을 받을 수도 있습니다.

두 번째로 순간을 인식하기입니다. 일상생활에서 조금 더 주의 깊게 순간을 인식해 보세요. 식사를 할 때 음식의 맛과 향기를 느끼고 산책을 할 때 주변의 자연과 풍경을 감상해 보세요. 감정을 인식하고 받아들이며 현재의 순간에 집중하는 것이 중요합니다.

세 번째로 호흡에 집중하기입니다. 숨을 깊게 들이마시고 천천히 내쉬는 호흡을 통해 몸과 마음을 안정시킬 수 있습니다. 호흡에 집중하면 마음의 평안함을 찾을 수 있습니다.

네 번째로 명상과 마인드풀니스 그룹 참여해보기입니다. 명상이나 마인드풀니스 그룹에 참여하여 다른 사람들과 함께 실천하고 경험을 나눌 수도 있습니다. 그로 인해 다양한 사람들의 다양한 명상 및 마인드풀니스 방법을 공유할 수도 있어 함께하는 동료들과의 소통은 많은 도움이 될 수 있습니다.

이런 명상과 마인드풀니스는 일상생활에서 쉽게 실천할 수 있는 방법입니다. 꾸준한 실천을 통해 도파민 디톡스를 이루어 나가시길 바랍니다.

4장

세 번째 "Soul Detox"

1. 긍정적인 자기 대화와 자기 성찰을 통한 해독

영혼의 해독은 우리의 내면을 깨끗하게 청소하고 정화하는 과정을 의미합니다. 우리의 영혼은 일상적인 스트레스, 부정적인 경험, 상처, 불안, 불행 등 다양한 요소로 인해 오염될 수 있습니다.

이러한 오염은 우리의 삶에 부정적인 영향을 미치며 내면의 평화와 행복을 방해할 수 있습니다. 따라서 영혼의 해독은 우리가 더 나은 삶을 살고자 할 때 필수적인 요소입니다.

생각과 감정을 조절하여 내면의 평화를 얻는 해독 방법 중 하나는 긍정적인 자기 대화와 자기 성찰입니다. 이를 통해 우리는 내면의 상태를 파악하고 부정적인 패턴이나 믿음을 발견하여 개선할 수 있습니다.

긍정적인 자기 대화는 자신과의 대화를 통해 내면의 상태와 생각을 탐구하는 것을 의미합니다. 이는 자기 인식을 향상시키고, 자신을 이해하고 받아들이는 과정입니다. 긍정적인 자기 대화를 위해서는 다음과 같은 방법을 활용할 수 있습니다.

첫 번째로 자신에게 관대하고 친절하게 대해야 합니다. 자신을 비난하거나 자신을 감정적으로 공격하는 것보다는 자신을 이해하고 용인하는 태도를 취해야 합니다. 실수와 부족함을 받아들이며 자신을 위로해 주는 말을 건네는 것이 중요합니다.

두 번째로 긍정적인 자기 대화를 위해 감사와 긍정에 집중해야 합니다. 일상에서 느끼는 작은 기쁨이나 성취를 인식하고 인정하는 것은 중요합니다. 자신의 장점과 성공을 인정하며 자신에 대한 긍정적인 이야기를 만들어내는 것이 도움이 됩니다.

세 번째로 부정적인 자기 대화를 극복하고 긍정적인 방향으로 전환하는 것이 필요합니다. 부정적인 자기 대화는 자신을 비하하고 자신의 능력과 가치를 의심하는 내용을 포함할 수 있습니다.

이런 부정적인 자기 대화를 극복하기 위해서는 부정적인 생각을 긍정적인 것으로 대체하는 연습을 해야 합니다. 예를 들어 "나는 능력이 없다."라는 부정적인 생각을 "나는 새로운 것을 배워나갈 수 있는 능력이 있다."라는 긍정적인 생각으로 바꿀 수 있습니다.

다음 방법으로 자기 성찰은 내면의 상태를 탐구하고 개선하기 위한 과정입니다. 자기 성찰을 위해 다음과 같은 방법을 활용할 수 있습니다.

첫 번째로 정기적인 명상과 심층적인 내면 탐구를 통해 자기 성찰을 실천할 수 있습니다. 명상은 마음을 집중하고 내면의 평화를 찾을 수 있는 좋은 방법입니다. 명상을 통해 내면의 소리에 귀를 기울이고 자신의 감정과 생각을 관찰할 수 있습니다.

두 번째로 일기 쓰기를 통해 자기 성찰을 할 수 있

습니다. 매일 조용한 시간을 내어 일기를 쓰는 것은 내면의 변화를 관찰하고 기록하는 좋은 방법입니다. 일기에는 자신의 감정, 생각, 경험 등을 솔직하게 기록하고 분석할 수 있습니다.

세 번째로 독서와 학습을 통해 자기 성찰을 실천할 수 있습니다. 자기 독서를 통해 다양한 관점과 아이디어를 접하고 자신의 성장에 도움이 될 수 있는 지식과 통찰력을 얻을 수 있습니다. 또한 자기 성장을 위한 학습과 교육 프로그램에 참여하여 지속적인 성장을 이룰 수 있습니다.

2. 스트레스 관리와 탄력성 향상을 통한 해독

스트레스는 현대 사회에서 불가피한 요소로 자리 잡고 있습니다. 하지만 지속적이고 과도한 스트레스는 우리의 신체와 정신에 부정적인 영향을 미칠 수 있습니다.

따라서 스트레스 관리와 탄력성 향상은 우리의 삶을 건강하고 긍정적으로 유지하는 데 매우 중요한 역할을 합니다.

스트레스 관리는 스트레스를 인식하고 적절히 대처하는 능력을 의미합니다. 스트레스는 우리의 신체와 정신에 다양한 영향을 미칠 수 있으며 만약 적절한 대처가 이루어지지 않는다면 건강 문제와 심리적 문제를 야기할 수 있습니다.

그렇기 때문에 스트레스 관리는 우리가 스트레스를 경감하고 조절하는 방법을 배우는 것을 포함합니다. 스트레스 관리를 위해 우리는 몇 가지 방법을 실천할 수 있습니다.

첫째 신체적인 스트레스를 완화하기 위해 규칙적인 운동과 신체 활동을 추구해야 합니다.

운동은 우리의 신체에 염증을 감소시키고 긍정적인 화학물질인 엔도르핀 분비를 촉진하여 스트레스를 완화시키는 데 도움이 됩니다.

둘째 정신적인 스트레스를 완화하기 위해 명상, 요가, 호흡법 등의 심리적인 수단을 활용할 수 있습니다.

명상은 우리의 마음과 정신을 집중시키고 내면의 평화와 안정을 찾을 수 있는 효과적인 방법입니다. 요가와 호흡법은 몸과 마음을 조화롭게 이어주어 스트레스를 해소하고 정서적인 안정을 찾을 수 있도록 도와줍니다.

셋째 스트레스를 완화하기 위해 긍정적인 생활 방식을 채택해야 합니다.

충분한 휴식과 수면을 취하고 효소가 살아있는 음식(채소, 과일)을 꼭 하루 1회 이상 섭취하며 사회적인 관계를 유지하는 등의 방법을 통해 우리의 신체와 정신을 지속적으로 지원해야 합니다. 또한 스트레스 관리를 위해 취미나 관심사에 시간을 투자하고 즐거운 활동을 즐기는 것도 중요합니다.

탄력성 향상은 우리가 어려운 상황에 대처하는 능력을 강화하는 것을 의미합니다. 우리는 일상적으로 다양한 어려움과 변화에 직면하게 되는데 이러한 상황에서 탄력성을 발휘할 수 있다면 좀 더 긍정적인 결과를 얻을 수 있습니다.

탄력성 향상을 위해 우리는 몇 가지 능력을 갖추어야 합니다. 첫째 문제 해결 능력을 키워야 합니다.

어려운 상황에서 문제를 분석하고 해결하는 능력을 발전시켜야 합니다. 문제를 적극적으로 대응하고 새로운 해결책을 찾는 능력을 키우면 어려운 상황에서도 더욱 효과적으로 대처할 수 있습니다.

둘째 적응력을 갖추어야 합니다.

우리는 삶에서 항상 변화에 직면하게 됩니다. 이러한 변화에 유연하게 대처할 수 있다면 스트레스를 최소화하고 새로운 환경에 빠르게 적응할 수 있습니다. 탄력성을 향상시키기 위해 새로운 상황에 대한 개방적인 태도를 가지고 변화를 받아들이는 능력을 기를 필요가 있습니다.

셋째 긍정적인 마인드셋을 갖추어야 합니다.

탄력성을 향상시키면 긍정적인 마인드셋을 갖출 수 있습니다. 낙관적으로 문제를 바라보고 도전을 받아들일 수 있는 자세를 갖출 수 있으며 실패를 긍정적인 학습 기회로 바라볼 수 있습니다.

긍정적인 마인드셋은 우리가 어려운 상황에서도 희망을 가질 수 있게 하고 자신을 격려하고 지지하는 데 도움을 줍니다.

이렇게 스트레스 관리와 탄력성 향상은 우리의 삶을 보다 건강하고 긍정적으로 이끌어주는 중요한 요소입니다. 우리는 자기 관리와 자기 돌봄을 실천하여 우리의 감정과 조건을 이해하고 존중해야 합니다. 이를 통해 우리는 스트레스를 효과적으로 관리하고 탄력성을 향상시켜 삶의 질을 향상시킬 수 있습니다.

3. 사회적 관계 개선과 자기 성장을 위한 활동프로그램

사회적 관계 개선과 자기 성장은 영혼의 해독에도 매우 중요한 역할을 합니다. 영혼의 해독은 우리의 내면을 깨끗하게 정화하는 과정이라고 4장 초반에 언급하였습니다. 또한 정신적인 부담과 중독적인 패턴으로부터 벗어나는 과정을 의미합니다.

이를 위해 사회적 관계 개선과 자기 성장을 동시에 추구하는 활동들이 필요합니다. 그와 관련된 몇가지 방법들을 제안합니다. 여러 가지 방법을 통해 우리는 사회적 관계를 향상시키고 자기 성장을 도모할 수 있을 것입니다.

먼저 상호간의 소통과 피드백을 들 수 있습니다. 먼저 소통할 때는 솔직하고 존중하는 태도로 의사소통하는 것이 중요합니다. 다른 사람들과 대화할 때 솔직하고 존중하는 태도를 가지는 것이 중요합니다.

상대방의 의견을 경청하고 그들의 감정과 생각을 존중해야 합니다. 자신의 의견을 표현할 때도 공격적이거나 비판적인 언어를 사용하지 않도록 주의해야 합니다.

다음으로 피드백 주고받기입니다. 다른 사람들의 피드백을 받아들이고 개선할 점을 찾는 것은 자기 성장에 도움이 됩니다. 또한, 다른 사람들에게도 솔직하고 건설적인 피드백을 제공해주는 것이 좋습니다.

이어서 새로운 사람들과의 관계를 형성하는 방법으로 사회적 활동에 참여하거나 공동의 관심사를 가진 그룹에 가입하는 것을 추천합니다. 이는 새로운 사람들과의 관계를 형성하는 좋은 방법입니다. 동호회, 봉사활동, 스터디그룹 등 다양한 그룹에 참여하여 새로운 사람들을 만날 수 있습니다.

또한 기존 관계를 유지하는 것도 중요합니다. 정기적으로 연락을 주고받거나 함께 시간을 보내는 등 관계를 강화할 수 있는 방법을 찾아보시면 도움이 될 것입니다.

자기 성장을 위해 세 가지를 추천합니다. 먼저 독서와 학습입니다. 책을 읽거나 온라인 강의를 통해 새로운 지식을 습득하고 자기 성장에 도움이 되는 자기계발 활동을 추구해보세요. 관심 있는 주제에 대해 꾸준히 학습하고 습득한 지식을 실생활에 적용해보세요.

이어서 취미활동을 가져보는 것입니다. 관심 있는 취미를 찾아 즐겨보세요. 그림 그리기, 음악 연주, 요리, 운동 등 다양한 취미 활동을 통해 자기계발과 즐거움을 동시에 얻을 수 있습니다.

다음은 명상이나 마음의 평화를 위한 활동을 실천해보세요. 일상생활에서 잠시 시간을 내어 명상을 하거나 마음의 안정을 위한 여가 활동을 즐겨보세요.

자기 인식을 하기 위해 노력하는 것도 중요합니다. 그중에서 구체적으로 자신의 강점과 약점 인식하고 받아들이는 것은 자기 성장을 위해 중요합니다. 자신의 장점을 살리고 약점을 개선하기 위해 노력해보세요. 필요하다면 다른 사람들이나 전문가의 도움을 받을 수도 있습니다.

또한 긍정적인 자아 이미지 형성하는 것도 중요합니다. 자신의 성취를 인정하고 자신을 사랑하며 자신에게 긍정적인 말을 건네는 것이 도움이 됩니다.

마지막으로 자비로운 태도를 가져보는 것과 관용, 이해심을 넓히는 것도 중요합니다. 다른 사람들에게 자비로운 태도를 가지는 것은 사회적 관계를 개선하는 데 도움이 됩니다. 다른 사람들의 실수를 이해하고 용서하는 자세를 갖추어보세요.

또한 다른 사람들의 다양성과 차이를 인정하고 이해하는 것이 중요합니다. 서로 다른 관점을 존중하고 타인을 이해하려는 노력을 기울여보세요.

위의 활동들을 실천하면 사회적 관계를 개선하고 자기 성장을 이룰 수 있습니다. 각 개인의 상황과 성향에 따라 적합한 방법과 활동이 다를 수 있으므로 자신에게 맞는 방법을 찾아 실천하는 것이 중요합니다. 자기계발과 사회적 관계 개선은 지속적인 노력과 시간이 필요하므로 꾸준히 실천해보세요.

5장

3D 혁명의 효과

3D 디톡스는 신체, 도파민, 영혼의 3가지 차원을 디톡스 즉 해독함으로써 건강과 행복을 추구하는 방법입니다. 이를 실천하면 다음과 같은 여러 가지 장점과 효과를 얻을 수 있습니다.

먼저 육체적인 측면인 "Body Detox"를 통해 1차 식습관을 개선하는데 매일 아침 살아있는 음식이 채소과 일식을 실천함으로 소화에너지를 아끼게 되고 효소와 식이섬유 보충으로 소화기능 향상과 체내의 해독이 가능하게 됨으로 건강한 삶을 살 수 있습니다.

또한 생활 속에서 오일풀링과 풍욕을 통해 체내에 이미 쌓여있거나 쌓일 수 있는 불필요한 독소를 몸에서 배출할 수 있습니다.

추가적으로 맨발로 자연인 대지를 걸음으로써 자연과 일체 되고 이러한 규칙적인 운동은 면역력을 강화시키고 우리의 몸을 질병으로부터 보호받을 수 있게 합니다.

단순히 육체적인 디톡스의 차원을 넘어 과도한 미디어 시청으로 인한 도파민의 과한 활성화를 낮추고 적절하게 유지하는 다양한 방법들을 통하여 스트레스를 감소시킵니다. 이를 통해 긍정적인 감정을 느끼고 일상생활에서 즐거움을 찾을 수 있습니다.

명상과 마인드풀니스 실천은 내면의 평화와 안정을 찾는 데 도움을 줍니다. 이는 도파민 분비를 조절하고 긍정적인 마음 상태를 유지하는 데 도움이 됩니다.

영혼적인 효과로는 긍정적인 내면의 성장과 긍정적인 자기 대화를 촉진합니다. 이를 통해 자아를 발견하고 자신에 대한 긍정적인 태도를 갖출 수 있습니다.

또한 사회적 관계의 발전을 도모합니다. 자기 개선을 통해 자신에게 더욱 자신감을 갖게 되고 이는 다른 사람들과의 관계에서도 긍정적인 영향을 줄 수 있습니다.

이렇게 3D 디톡스를 실천하면 위에서 언급한 다양한 효과와 장점을 경험할 수 있습니다. 이를 통해 건강과 행복을 동시에 실현할 수 있으며, 삶의 질을 향상시킬 수 있습니다. 3D 디톡스를 적극적으로 실천하여 더 나은 삶을 즐겨보세요!

작가의 말

저의 책 "건강과 행복을 한방에 잡는 3D 혁명"을 마치며 여러분께 전하고 싶은 마지막 메시지가 있습니다.

이 책은 우리의 건강과 행복을 추구하는데 있어서 3가지 디톡스인 Body Detox, Dopamine Detox, Soul Detox의 중요성을 강조하였습니다. 우리는 환경오염으로부터 우리 몸을 해독하고 과도한 자극적인 쾌감으로부터 도파민을 해독하며 내면의 평화를 얻기 위해 생각과 감정을 조절해야 합니다.

이 중에서도 도파민 디톡스는 현대 사회의 도전적인 문제 중 하나로 스크린 타임과 미디어의 영향으로 인해 자극적인 것들에 익숙해지고 중독되는 경향이 있습니다. 따라서 스크린 타임을 관리하고 도파민 시스템을 균형 있게 유지하는 것이 중요합니다.

하지만 이 책은 단순히 지식을 전달하는 것을 넘어

서 여러분들에게 실질적인 변화와 행동을 이끌어내기 위해 노력하였습니다. 이 책에서 언급된 방법과 원리들은 여러분의 일상생활에 적용할 수 있는 실용적인 도구로서 활용될 수 있습니다. 하지만 그것들을 실천에 옮기기 위해서는 여러분의 의지와 노력이 필요합니다.

건강과 행복을 한방에 잡는 3D 혁명은 단기적인 목표나 해결책이 아닙니다. 이는 우리의 삶의 여정이며 지속적인 노력과 규칙적인 실천을 요구합니다. 하지만 그 과정에서 우리는 더욱 강하고 풍요로운 삶을 살 수 있을 것입니다.

마지막으로 이 책을 통해 건강과 행복을 위한 3D 혁명에 동참해 주신 여러분에게 깊은 감사의 말씀을 전합니다. 저는 여러분이 책에서 얻은 통찰과 지식을 삶에 적용하여 더 나은 세상을 만들어나가길 기대합니다.